CW00691056

ISBN 978-0-484-95117-3
PIBN 10342006

Die geistesgeschichtliche edeutung der Bibel

Von

Rudolf Eucken

Die geistesgeschichtliche Bedeutung der Bibel

Von

Rudolf Eucken

Alfred Kröner Verlag in Leipzig
1917

Druck von Oscar Brandstetter in Leipzig.

E

Vorwort

Die folgende Schrift bildet den Abdruck einer Rede, welche ich auf der öffentlichen Festversammlung hielt, die zur Feier des 100jährigen Bestehens der Hamburg-Altonaischen Bibelgesellschaft am 16. Oktober d. J. in Hamburg stattfand. Die vertrauensvolle und liebenswürdige Einladung dazu, die mir Herr Hauptpastor Professor D. Dr. Hunzinger in freundlichster Weise persönlich überbrachte, rief naturgemäß zunächst das Bedenken hervor, ob ein Philosoph der richtige Mann sei, um bei solchem Anlaß zu sprechen. Aber ich überwand dies Bedenken durch die Erwägung, daß dieser Gegenstand nicht bloß die Theologie und auch nicht bloß die Kirche, sondern das ganze deutsche Volk ohne Unterschied der Richtungen und der Bekenntnisse angehe; wie er unsere großen Dichter und Denker aufs eingehendste beschäftigt hat, so soll er uns auch heute, ja in der Zeit des Weltkriegs besonders, eine gemeinsame Angelegenheit bleiben. Möchte nun das Wenige, das ich in einem kurzen Vortrag von dem schier unermeßlichen Stoffe bringen konnte, auch in weiteren Kreisen eine freundliche Aufnahme finden!

Jena, im November 1916.

Rudolf Eucken

Anderes bedeutet die Zeitgeschichte, anderes die Geistesgeschichte. Jene verfolgt den Verlauf der Ereignisse in der Zeit, ihr Werden und Wachsen, ihr Sinken und Vergehen, sie sucht die Fülle des Geschehens zu einer fortlaufenden Kette zu verbinden, sie zeigt, wie das Frühere im Späteren fortwirkt, und wie dieses auf jenes zurückweist; die Aufrollung dieser Bewegung hält sie in unablässiger Spannung. Aber was sie an Leben enthüllt, das ist nicht mehr als ein Weiter- und Weiterstreben, ein Hinübergleiten von einem Punkte zum anderen, das gelangt nie zu einem Ruhen in sich selbst, das kann sich nie als einen Selbstzweck geben, es ist weit mehr ein bloßes Lebenwollen, ein Jagen und Hasten nach Leben als wahrhaftiges Leben; die einzelnen Wesen aber versinken hier nach kurzer Daseinsfrist in den dunklen Abgrund des Nichts, sie sind nicht mehr als flüchtige Bilder, die wie Schatten vorüberziehen. Solange uns der bloße Augenblick einnimmt, mag dies Weiter- und Weiterstreben mit seiner Aufregung volles Genüge bieten; aber ein schwerer Mißstand und Widerspruch wird ersichtlich, sobald wir die einzelnen Vorgänge in ein Ganzes fassen und einen Sinn dieses Ganzen verlangen, ein Widerspruch zwischen der Leere des Ganzen und der Aufregung der einzelnen Stellen, ein Widerspruch darin, daß die ganze Reihe immer von neuem über sich selbst hinausweist, daß nie ein Abschluß erreicht wird, der das Streben in die Ruhe und Freude eines endgültigen Besitzes verwandelte. Tiefere Seelen haben die Sinnlosigkeit dieses bloßen Zeitlebens, den gespenstischen Charakter dieses unaufhörlichen Kommens und Gehens schmerzlich empfunden, und große Dichter und Denker haben solcher Empfindung oft einen ergreifenden Ausdruck gegeben; hören wir beispielsweise nur, was Schelling darüber sagt: „Ein Geschlecht vergeht, das andere kommt, um selbst wieder zu vergehen. Vergebens erwarten wir, daß etwas Neues geschehe, woran endlich diese Unruhe ein Ziel finde; alles, was geschieht, geschieht nur, damit wieder etwas anderes geschehen kann, das selbst wieder gegen ein anderes zur Vergangenheit wird, im Grunde also geschieht alles umsonst, und es ist in allem Tun und aller Mühe und Arbeit der Menschen selbst nichts als Eitelkeit: alles ist eitel, denn eitel ist alles, was eines wahrhaften Zweckes ermangelt."

Aber diese starke Empfindung der Nichtigkeit des bloßen Lebens in der Zeit verrät selbst schon zur Genüge, daß dieses Leben uns keineswegs ganz und gar einnimmt, etwas Zeitüberlegenes muß in uns wirken, wenn die Zeit mit all ihrem Reichtum uns so unzulänglich wird. In Wahrheit ging von altersher durch die Menschheit ein eifriges Streben, sich irgendwie dem Bann der Zeit zu entwinden, irgendetwas Dauerhaftes zu ergreifen oder auch hervorzubringen, an das der Wandel der Zeiten nicht reiche. So suchte man in Denkmälern von Stein und Erz große Ereignisse und Taten für die Nachwelt festzulegen, so grub man Berichte davon in starre Felswände ein, so übte das Verlangen nach unvergänglichem Ruhm eine dämonische Macht über die Gemüter. Tieferen Geistern entging dabei nicht, daß alles Beharren in der Zeit keine Befreiung von ihr bringe, sondern nur ein Aufschieben des Vergehens sei; so drängte es sie über alle Zeit hinaus zum Suchen einer neuen Ordnung überzeitlicher Art und eines ihr entsprechenden Lebens. Plato hat in seinem Gastmahl diesem Verlangen, diesem Aufstreben der Menschenseele von der Zeit zur Ewigkeit, einen wunderbaren künstlerischen Ausdruck verliehen; unter den neueren Großen hat namentlich Goethe immer von neuem auf ein Ergreifen und Gegenwärtighalten eines Ewigen in unserem Leben gedrungen:

„Nichts von Vergänglichem,
Wie's auch geschah!
Uns zu verewigen
Sind wir ja da."

Auch ist es keineswegs bei bloßen Worten und Wünschen geblieben. Eine Erfüllung jenes Verlangens bringt die ganze Verzweigung des Schaffens, welches wir geistig nennen. Denn wo immer es erscheint, in der Wissenschaft wie in der Kunst, im Recht wie in der Moral, durchgängig wird etwas errungen, was über dem Wandel der Zeiten liegt, was sich gegenüber allen Zeiten behauptet. Das kann aber nur geschehen, weil hier eine andere Art des Lebens aufkommt, ein Leben, das sich selbst einen Inhalt gibt und damit zu einem Beisichselbstsein wird, das im eigenen Bereich ein Beharren und ein festes Ziel gewinnt, damit aber zu wahrhaftigem Leben wird. Wie ein solches Leben dem Befinden und der Willkür des Menschen überlegen wird, so vermag es sich auch von dem Wandel menschlicher Dinge abzulösen und ihm gegenüber festzulegen, so vermag, was aus den Kämpfen der Zeit hervorging, unabhängig von aller Zeit zu werden. Indem weiter die hier entstehenden Gebilde sich untereinander zusammenschließen, entsteht ein gemeinsamer Besitz der Menschheit, ein Reich der Wahrheit, wölbt sich über dem niederen Gebiet des menschlichen Tuns und Treibens das hohe Firmament einer geistigen Welt als das Ziel und das Maß alles menschlichen Handelns. Nur damit vermag sich von dem, was unter Menschen Kultur genannt wird, eine echte Geisteskultur abzuheben, nur so wird ein Zusammenfassen und Überschauen des Ertrages aller Zeiten möglich, wie es das unterscheidende Merkmal aller höheren Bildung ist.

„Wer nicht von dreitausend Jahren
Sich weiß Rechenschaft zu geben,
Bleib im Dunkeln unerfahren,
Mag von Tag zu Tage leben."

Diese Entfaltung eines neuen, in sich selbst gegründeten Lebens, des Geisteslebens, im Bereich der Menschheit ist nicht ohne eine Geschichte. Denn jenes Leben ist nicht ein Erbe der bloßen Natur, und es ist nicht unmittelbar mit einem Schlage erreichbar, nur fortdauernde Arbeit kann es uns erringen und bewahren. Aber wie dieses Leben sich in einem schroffen Gegensatz und unablässigen Kampf mit der menschlichen Durchschnittslage befindet, so quillt es keineswegs leicht und bequem fortwährend aus dieser hervor, vielmehr erlangt es eine deutliche Gestalt und eine aufrüttelnde Gewalt nur an einzelnen Höhepunkten und erlangt das nur wie durch ein Wunder, indem besondere Zeitlagen und überragende Persönlichkeiten zusammentreffen; alsdann aber vermögen Schöpfungen zu entstehen, welche klassisch heißen, weil sie Ewigkeitsgehalte verkörpern und unserem Streben damit beharrende Ziele und sichere Richtlinien geben. So sind sie, wenn auch zeitlich fern, keine bloße Vergangenheit, sie bleiben jung wie am ersten Tag und erschöpfen sich auch nicht im Wirken. Daher können sie uns immer neu bewegen und fördern, daher wird es uns immer von neuem zur Aufgabe, ihren Ewigkeitsgehalt zu ergründen, ihn immer reiner herauszuarbeiten, ihn immer gründlicher für uns zu verwerten. So hebt sich von der zeitgeschichtlichen Betrachtung eine geistesgeschichtliche ab; ihr ist die Geschichte kein bloßes Weiter- und Weiterstreben, sondern ein Festlegen und Zusammenschließen des in der Bewegung eröffneten Wahrheitsgehalts, zugleich aber ein stetes Zurückkehren zu den Quellen echten Lebens, ein Sichbesinnen und Sichvertiefen; alles Fortschreiten in der Zeit enthält hier ein Überwinden der bloßen Zeit. An eigner Bewegung wird es dabei keineswegs fehlen, da jene Höhen immer neu zu erringen und einander zu verbinden sind, aber soweit diese Betrachtung reicht, hat guten Grund das Goethesche Wort:

„Die Wahrheit war schon längst gefunden,
Hat edle Geisterschaft verbunden,
Das alte Wahre faß es an!"

Diese geistesgeschichtliche Betrachtung gilt aber besonders für die Religion, für die Religion schon nach ihrem allgemeinen Wesen, mehr noch für die geschichtlichen Religionen, am meisten für das Christentum. Indem die Religion von aller Unzulänglichkeit und aller Verwicklung menschlichen Daseins auf die tiefste Wurzel des Lebens zurückgeht, stellt sie sich zugleich in einen vollen Gegensatz zu allem zeitlichen Werden; wie der Gottheit Ewigkeit wesentlich ist, so kann auch ihre Eröffnung, welche die Religion dem Menschen zuführt, nicht dem Wandel der Zeit unterliegen, so muß die Religion ihre Wahrheit als eine zeitüberlegene geben und kann sie in ihrem Kern keine Veränderung dulden. Diese grundsätzliche Behauptung erhält eine anschauliche Verkörperung in den geschichtlichen Religionen, denn hier wird eine ewige Wahrheit dem menschlichen Leben unmittelbar eingepflanzt, ein eigentümlicher Lebenstypus für alle Zeiten festgelegt, das Streben der Menschheit unablässig auf die begründenden Anfänge zurückgelenkt. Das Christentum aber verstärkt dieses Ewige in der Geschichte weiter dadurch, daß seinen Kern nicht eigentümliche Lehren oder Vorschriften, sondern die Begründung einer neuen Wirklichkeit, die Vollziehung weltumwandelnder Taten bildet, die nur einmal zu geschehen brauchen, nur einmal geschehen können, die daher allen weiteren Verlauf der Zeiten beherrschen und zu ihnen allen zu wirken vermögen. Das steigert zugleich das Recht und den Wert einer geistesgeschichtlichen Betrachtung, sie hat jenes Leben mit denkbarster Kraft zu vergegenwärtigen und seine Entwicklung nach allen Seiten hin zu verfolgen.

Nun aber tritt uns schaffendes Leben nicht nahe durch einen bloßen Bericht davon, auch nicht durch eine Verwandlung in eine bloße Lehre, sondern nur durch die direkte Vorführung seiner Tatsächlichkeit und durch Herstellung eines Kontaktes unserer Seele mit den geistigen Mächten, die aus jenem wirken. Was in uns angelegt ist, aber zunächst einen Schlummerstand nicht überwindet, das wird am ehesten erwachen, wenn jenes ursprüngliche Leben in ungetrübter Gestalt mit aufrüttelnder Kraft zu ihm spricht. Dies nun ist es, was der Sammlung der Schriften, welche die Bibel zusammenfaßt, einen unvergleichlichen und unersetzlichen Wert verleiht. Denn sie entrollen uns tiefste Erlebnisse nicht nur einzelner großer Persönlichkeiten, sondern ganzer Völker, Erlebnisse in Streben und Kämpfen, in Sorgen und Leiden, in Siegen und Überwinden. Gewaltige Ereignisse, wechselnde Schicksale ziehen an uns vorbei, den Menschen bis zum letzten Grunde erschütternd, aber auch zur höchsten Höhe erhebend, alle Mannigfaltigkeit aber mündet ein in „das eigentliche, einzige und tiefste Thema der Welt- und Menschengeschichte“: den Konflikt des Glaubens und Unglaubens. Was sich hier an Bewegung und Erfahrung eröffnet, das vermag namentlich deshalb alle Saiten der Seele zu bewegen, allen Lebenslagen gerecht zu werden, weil wie jede höhere Religion so im besonderen das Christentum das Leben nicht in einer einzigen Ebene verlaufen läßt, sondern ihm durch den Aufstieg zum Ja durch ein Nein eine fortlaufende Bewegung einpflanzt und damit eine Geschichte innerlichster Art eröffnet. In drei Stufen stellt sich hier das geistige Leben dar: als grundlegend, kämpfend, überwindend. Das Christentum verkündigt zunächst eine Macht der Weisheit und Liebe als weltbegründend und weltdurchdringend, und es gibt durch die Beziehung darauf allem menschlichen Leben und Tun einen tiefen Ernst und eine unvergleichliche Größe; hier ist die Quelle aller Erhabenheit, von hier kommen absolute Maße an unser Leben und halten ihm unendliche Aufgaben vor. Aber zugleich waltet hier die Überzeugung, daß die vorhandene Welt hinter diesen Aufgaben nicht nur weit zurückbleibt, sondern daß sie ihnen schroff widerspricht; die Grundwurzel dieses Widerspruches aber wird hier nicht in einer Schwäche oder Unvollkommenheit der Natur, sondern in einer freien Tat, einer Schuld, einer Auflehnung und einem Abfall gefunden; das steigert das Schlechte zum Bösen, den Fehler zur Sünde, das verschärft damit gewaltig das Lebensproblem und läßt das Unzulängliche, ja Unerträgliche der menschlichen Lage mit peinlichster Stärke empfinden. Aber das Christentum überliefert den Menschen nicht endgültig jener Lage, es hebt ihn erlösend und erhöhend darüber hinaus durch die Mitteilung eines in göttlicher Liebe und Gnade gegründeten Lebens; es gibt ihm durch das Teilgewinnen an solchem Leben eine sichere Überlegenheit gegen alle Gefahren und Nöte, es erfüllt ihn mit freudiger Zuversicht und mit unerschütterlicher Kraft, einer Kraft aber, die als eine verliehene nie zu trotzigem Selbstgefühl oder zur Eitelkeit eines im Leeren schwebenden „Übermenschentums" werden kann. Auch ist der hier erreichte Sieg außer aller Gefahr, zu trägem Besitz und bequemem Genießen zu sinken. Denn so gewiß im tiefsten Grunde das Leben von aller Not befreit und der Widerstand der Welt gebrochen ist, dieser entschwindet damit nicht völlig, er beharrt im nächsten Lebensstande, bringt immer neue Versuchung, erzeugt immer neue Zweifel und fordert immer neue Überwindung. So ist das heroische Handeln, das hier entsteht, kein bloßer Durchgangspunkt, sondern es begleitet und durchdringt das ganze Leben; dieser Heroismus, der eine unsichtbare Welt gegen die sichtbare setzt und unerschrocken behauptet, ist nicht nur der gewaltigste, den das menschliche Leben aufweist, es gibt überhaupt ohne ihn keine rechte Größe geistiger Art. Dieser Heroismus ist nicht nur vereinbar mit tiefer Demut, sondern beide bilden zusammengehörige Seiten ein und desselben Lebens, und wie die Entfaltung der Kraft hier eine tiefe Dankbarkeit in sich trägt, so verflicht sie sich eng mit Zartheit und Innigkeit des Gemütes. So verbleiben in unserer Welt Licht und Dunkel nebeneinander; aber da das Licht die sichere Gewähr eines endgültigen Sieges hat, so kann auch der härteste Widerstand die trotzige Selbstgewißheit dieses Lebens nicht mindern. Damit erwächst die Grundstimmung, der Luther den Ausdruck gibt: „Das ist die geistige

Macht, welche herrscht inmitten der Feinde und gewaltig ist in aller Unterdrückung. Dies aber ist nichts anderes, als daß die Kraft in der Schwachheit vollendet wird, und daß ich in allen Dingen am Heil gewinnen kann, so daß Kreuz und Tod gezwungen werden, mir zu dienen und zu meinem Heile mitzuwirken."

Daß so das Christentum sein erlösendes und erhöhendes Ja erst mittels eines Hindurchgehens durch ein herbes Nein gewinnt, und daß es auch beim Ja das Nein gegenwärtig hält, das gibt ihm eine fortlaufende innere Bewegung und macht es fähig, allen Lebenslagen mit sich anschmiegendem Verständnis gerecht zu werden und die ganze Stufenleiter der Gefühle mit heiligendem Wirken zu durchdringen. Der Reichtum dieser Bewegung kann aber mit aller Eigentümlichkeit der verschiedenen Seiten gar nicht besser zur Entfaltung und Wirkung kommen als durch die Vorführung der wirklichen Geschicke und Lebenserfahrungen mannigfacher großer Persönlichkeiten oder auch ganzer Völker. Denn so kann alle Verschiedenheit sich unbefangen entfalten, ein Durchblick des Lebens von allen Seiten gewonnen werden, nicht nur das Ja in seiner Abstufung, sondern auch das Nein seine volle Aussprache finden, so kann sich das Leben in voller Bewegung zeigen. Die Sorgen, Zweifel und Nöte werden hier in keiner Weise unterdrückt oder beiseite geschoben, sie erlangen vielmehr einen klassischen Ausdruck. Oder lassen sich die Zweifel, welche das tiefe Dunkel der menschlichen Geschicke immer von neuem erzeugt, ergreifender schildern, als es im Buche Hiob geschieht, oder das Suchen ringender Seelen anschaulicher nahebringen als in manchen Stellen der Propheten und der Psalmen? Die Wahrhaftigkeit eines Selbsterlebens gibt auch der Sprache eine schlichte Einfalt und macht sie jedem entgegenkommenden Gemüt verständlich. Jene Wahrhaftigkeit verscheucht auch alle aufdringliche Tendenz, alle selbstgerechte Lehrhaftigkeit; die Tatsachen wirken hier mit der Kraft von reinen Naturgebilden, aber in höherer Potenz als in der sinnlichen Natur. So gilt hier vollauf das Wort: „Es ist die höchste Wirkung des Geistes, den Geist hervorzurufen."

Dabei wird die Fülle der Darbietungen kein zerstreutes Nebeneinander, kein wirres Durcheinander. Das schon deshalb nicht, weil die Beziehung alles Geschehens auf das Verhältnis zu Gott der Mannigfaltigkeit einen gemeinsamen Charakter verleiht und eine gemeinsame Aufgabe stellt, weiter aber auch nicht, weil die Ereignisse und Erfahrungen sich zu einem Gesamtgeschehen verbinden und der religiösen Überzeugung alles Vorgehen sich einem beherrschenden Mittelpunkt unterordnet, ihm als vorbereitend oder ausführend dient. Damit wird das Ganze ein großes Drama, dessen Zusammenhang allen einzelnen Stellen mit der Einfügung in den Gesamtlauf eine erhöhte Bedeutung gibt. So ließ einmal die hier vorhandene Fülle jedem einzelnen volle Freiheit, eben das zu suchen und herauszuheben, was für seine besondere Art und seine besondere Lage trostreich und förderlich war; so blieb er aber zugleich von einer gemeinsamen Wahrheit umfangen; das Einzelgeschick ward hier auf das Gesamtgeschick der Menschheit aufgetragen und dadurch bei sich selber veredelt. Auch die eigentümliche Art jener Zeiten und Völker trug dazu bei, die seelische Wirkung des Ganzen zu steigern. Die äußere Ferne verhinderte nicht eine innere Nähe. Im besonderen wirkte bei den Personen und Ereignissen der heiligen Geschichte der Zauber, den das Morgenland auf Gemüt und Phantasie des Abendländers zu üben pflegt; anders war die Natur, andersartig und einfacher das menschliche Leben. Aber jenes Ferne, jenes von wunderbarem Glanz Umsäumte wurde uns zugleich das seelisch Nächste, dasjenige, welches uns den Sinn unseres eignen Lebens erschloß, mit seinem Licht dessen Dunkel erhellte. So von hier aus eine innere Erhöhung des Eignen, im Besitz zugleich eine Sehnsucht, ein Hineinreichen des Wunderbaren und Geheimnisvollen mitten in das Tagesleben. Wie das Verhältnis zur Bibel den Menschen in die verschiedenen Phasen seines Lebens zu begleiten und ihn über sich selbst hinauszuheben vermag, das hat vor kurzem Wilhelm von Bode in einem geistvollen Aufsatz (Velhagen und Klasings Monatshefte, Nov. 1915) an einem der größten Künstler aller Zeiten, an Rembrandt gezeigt. Schon als Knabe durch seine fromme Mutter mit der Bibel vertraut, hat er sich von ihr durch die Geschicke seines Lebens ständig begleiten lassen, und hat er, was immer ihn seelisch bewegte, an der Darstellung ihrer Stoffe zu künstlerischem Ausdruck gebracht, damit aber geklärt und veredelt. Bode zeigt im besonderen, daß er im letzten Abschnitt des Lebens, wo ihn das Gefühl einer moralischen Schuld bedrückte, zu Motiven seiner Gemälde vornehmlich Darstellungen biblischer Szenen wählte, die sich auf Sünde und Verzweiflung, aber auch auf Reue und Erlösung beziehen. Eines seiner letzten Werke war die Rückkehr des verlorenen Sohnes, in seiner künstlerischen Größe zugleich ein ergreifendes Zeugnis der Seelenstimmung des Künstlers, eine Bekundung seines Vertrauens auf göttliche Liebe und Gnade.

Wie aber die Individuen, so konnten auch ganze Völker und Zeiten aus den biblischen Schriften eben das an sich ziehen und dem eignen Leben einverleiben, was ihnen Befestigung und Vertiefung verhieß. So erklärt es sich leicht, daß verschiedene Zeiten und Gruppen verschiedene Lieblingsschriften hatten. So stand im Neuen Testament für Luther und die Reformation Paulus im Vordergrund, so wurden mystische und spekulative Seelen namentlich vom

Johannesevangelium, dem „einzigen, zarten, rechten Hauptevangelium" nach dem Ausdruck Luthers, angezogen, nicht nur die mittelalterlichen Mystiker, sondern auch die nachkantischen spekulativen Denker, niemand mehr als Fichte; so erschienen die synoptischen Evangelien als der Hauptquell der Wahrheit, wo man mit der Aufklärung in der schlicht menschlichen Moral den Kern des Christentums fand und Jesus vornehmlich als den Menschen- und Kinderfreund verehrte. Aus dem Alten Testament aber haben nicht nur die tiefen seelischen Bewegungen, die in den Propheten und den Psalmen, wie im Buche Hiob zum Ausdruck kommen, unzähligen Seelen Halt und Trost geboten, auch die Geschicke des ganzen Volkes Israel, seine Kämpfe, Leiden und Siege, haben die Gemüter da gefesselt und gestärkt, wo harte Kämpfe von Ganzem zu Ganzem zu bestehen waren, und wo man von der Unbill der Menschen zum Walten Gottes seine Zuflucht nahm in festem Vertrauen darauf, daß er die gerechte Sache nicht werde unterliegen lassen. So in den Reformationskriegen die Niederländer und die Schotten, so die Heere Cromwells, so erweist es von neuem seine stärkende Kraft in den schweren Kämpfen der Gegenwart. Demnach spiegelt das Verhältnis zur Bibel die Eigentümlichkeit der Völker und Zeiten und ergibt in seinen Wandlungen einen fesselnden Durchblick der Menschheitsgeschichte.

Wenn aber so die Bibel jeder Eigentümlichkeit ihr Recht gewährt und jedem seinen eignen Weg beläßt, so wirkt sie andererseits als eine Kraft der Verbindung nach allen Seiten des Lebens. Das aber nicht nur dadurch, daß sie alle Vorgänge mit der weihevollen Stimmung eines hehren Tempels umfängt, sondern auch infolge der Stellung, welche sie seit langer Zeit im Gesamtleben unseres Kulturkreises einnimmt. So hilft sie zunächst dem einzelnen als treue Begleiterin dazu, die verschiedenen Abschnitte seines Lebens seelisch zusammenzuhalten. In zartem Kindesalter pflegt sie an den einzelnen zu kommen, so senken sich ihre Eindrücke besonders tief in die Seele ein, um sich an allen großen Wendepunkten neu zu regen, im besondern aber gegen den Abschluß des Lebens kräftig wieder hervorzubrechen. Als Kant am letzten Geburtstag, den er erlebte, die Summe seines Lebens zog, faßte er sie in das Psalmwort zusammen: „Unser Leben währet siebenzig Jahre, und wenn es hoch kommt, so sind es achtzig Jahre, und wenn es köstlich gewesen ist, so ist es Mühe und Arbeit gewesen." Zusammenhaltend wirkt die Bibel weiter gegenüber den verschiedenen Schichten und Klassen eines Volkes und löst damit eine Aufgabe sehr bedeutender Art. Je mehr die Bewegung der Kultur Unterschiede und Abstufungen erzeugt und dadurch die Menschen auseinandertreibt, desto notwendiger wird eine Gegenwirkung, ein Aufrechterhalten einer inneren Gleichheit alles dessen, was menschliches Angesicht trägt, ein Anerkennen eines gemeinsamen, aller Scheidung überlegenen Lebenszieles; eine solche Gegenwirkung aber geht unverkennbar von der Bibel aus, von ihrer Verbindung schlichter Einfalt und tiefster Wahrheit. Daß sie aber die Seelen einander nähert und sie sich gegenseitig verstehen lehrt, das ist wichtig nicht nur für die politischen und sozialen Verhältnisse, sondern auch für die rein menschliche Seelenlage und Lebensstimmung. Die Differenzierung und Individualisierung der Arbeit zwingt die einzelnen Individuen zur Ausbildung eines besonderen Lebens- und Gedankenkreises und bedroht sie bei aller überströmenden Fülle äußerer Berührungen mit einer gegenseitigen seelischen Entfremdung, mit einer Vereinsamung jedes einzelnen; eine solche aber führt unvermeidlich zu einer inneren Verarmung des Lebens und einer Verkümmerung der Persönlichkeit. War es demgegenüber von jeher ein Hauptwerk der Religionen, eine gemeinsame seelische Atmosphäre zu schaffen, wo Erlebnisse und Erfahrungen der einzelnen einander begegnen und mitteilen konnten, so dürfte in der Gegenwart vornehmlich die Bibel mit ihrer Überlegenheit gegen alles sektenhafte Formelwesen zu solchem Werke berufen sein.

Aber nicht nur die Individuen und die Schichten eines Volkes, sondern auch die ganzen Völker und Zeiten finden hier einen gemeinsamen Boden zur Bekämpfung von Absonderung und Zerstreuung. Die verschiedenen Zeiten bilden hier eine fortlaufende Kette, die Jahrhunderte und Jahrtausende werden uns vertraut, wenn wir sehen, daß ihr Seelenleben aus denselben Quellen schöpfte, an die auch wir uns halten; so reichen Vergangenheit und Gegenwart einander die Hand, und im Neuen wird unmittelbar ein Altes ergriffen. Je mehr ferner die Verstärkung des nationalen Lebens die Völker auf verschiedene Bahnen treibt und sie sich gegenseitig zu entfremden droht, desto schätzbarer, desto unentbehrlicher wird der Menschheit ein gemeinsamer Besitz, wie ihn die Bibel gewährt. Diese Gemeinschaft reicht über Lehren und Überzeugungen hinaus in die Sprache und die Bilder hinein. Die Literatur und auch die Volkssprache der verschiedenen Nationen ist überreich an Worten und Gleichnissen, die aus der Bibel stammen; auch das bildet eine Brücke von einem Volk zum anderen und stärkt das Gefühl der Zusammengehörigkeit. Auch das möchten wir erwähnen, daß selbst die Verschiedenheit der religiösen Überzeugungen und das Auseinandergehen der wissenschaftlichen Forschung eine gemeinsame Schätzung dieser Lebensquelle keineswegs aufzuheben braucht. Je unbefangener wir diese Quelle auf uns wirken lassen, desto leichter können wir ertragen, daß jeder in ihrer Aneignung besondere Wege einschlägt. Auch die moderne historische Kritik mit all ihrem guten Recht braucht daran nichts zu verändern. Auch hier möchten wir ein Wort des großen Lebensweisen heranziehen, der so oft gemeinsamen Überzeugungen einen treffenden Ausdruck gab. Goethe sagt in dem Aufsatz: „Israel in der Wüste“: „Kein Schade geschieht den heiligen Schriften, so wenig als jeder anderen Überlieferung, wenn wir sie mit kritischem Sinne behandeln. — Der innerliche, eigentliche Ur- und Grundwert geht nur desto lebhafter und reiner hervor, und dieser ist es auch, nach welchem jedermann, bewußt oder bewußtlos, hinblickt, hingreift, sich daran erbaut und alles Übrige, wo nicht wegwirft, doch fallen oder auf sich beruhen läßt.“ So erscheint in allen Punkten jenes einigende, menschen- und zeitenverbindende Wirken, in dem Goethe die Hauptleistung des Heiligen findet:

> „Was ist das Heiligste? Das
> Was heute und ewig die Geister,
> Tiefer und tiefer gefühlt,
> Immer nur einiger macht.“

Bis dahin beschäftigte uns das Wirken der Bibel auf das menschliche Seelenleben und auf das Verhältnis von Mensch zu Mensch. Darüber hinaus hat sie aber auch auf das geistige Schaffen gewirkt und hat ganzen Lebensgebieten fruchtbarste Antriebe und wertvollste Förderung gebracht, keinem mehr als dem der Kunst und der Literatur, das unsere Betrachtung daher vornehmlich herausgreifen mag. Von Haus aus stehen Kunst und Religion in einem Verhältnis der Verwandtschaft sowohl als einer gegenseitigen Ergänzung. Beide erbauen dem Alltagsleben gegenüber eine neue Welt, beide bedürfen einer Erhebung über seine Niederungen und eines wegebahnenden Schaffens der Phantasie; ja nirgends hat die Phantasie einen größeren Zug und mehr Gestaltungskraft erwiesen als in der Religion. Nichts bewundern wir mehr an den Schöpfern der geschichtlichen Religionen als die Kraft, der ganzen sichtbaren Welt eine unsichtbare entgegenzusetzen und dieser die Anschaulichkeit, die Handgreiflichkeit, die innere Nähe zu geben, daß sie weiten Kreisen der Menschheit zur geistigen Heimat werden und ihnen die sichtbare Welt zu einer Fremde machen konnte. Aber wenn die Religion eine unsichtbare Welt über die sichtbare weit hinaushebt, so strebt die Kunst mit ihrem Gestalten in die sichtbare Welt hinein; eben wegen solcher Verschiedenheit kann die eine die andere aufs ergiebigste fördern. Wie die Welt der Religion alles Vermögen faßlicher Begriffe übersteigt und doch auf lauterste Wahrheit Anspruch macht, so bedarf sie für das Wirken zur Seele symbolischer Zeichen, ja einer symbolischen Darstellung ihres Ganzen, und dafür sieht sie sich notwendig auf die Hilfe der Kunst angewiesen. Ihrerseits aber empfängt die Kunst von der Religion die Richtung auf die letzten Tiefen und die entscheidenden Geschicke des Menschenwesens, sie wird durch den Ernst und die Größe, die aus der Verbindung mit jener erwachsen, am sichersten davor behütet, sich in die kleinen Angelegenheiten des privaten Lebens einzuspinnen und dessen Verwicklungen in dumpfem Spießbürgersinn bis ins Unerträgliche wiederzukäuen. Alles Heroische in der Kunst führt in die Nähe der Religion. Dazu kommt die Besonderheit der biblischen Schriften mit ihrer eindringlichen Vorhaltung eines überaus reichen Gemäldes von Natur und Menschenleben. Die Natur zeigt hier sowohl die erhabensten wie die anmutigsten Züge, von der unvergleichlichen Erhabenheit des Schöpfungsberichtes bis zu den idyllischen Szenen des Hirtenlebens am Brunnen; wilder Sturm mit Donner und Blitz wie stilles Säuseln mit friedvoller Landschaft treten gleichmäßig vor Augen. Und mehr noch enthüllt das Menschenleben mannigfaltigste Gestalten und Geschicke, in ihrer schlichten Einfalt aufs kräftigste ausgeprägt, charakteristische Typen des Menschenwesens, auch dadurch ins Monumentale wirkend, daß sie uns in eine wohltuende Ferne gerückt sind, von wo nur die großen Züge zu uns sprechen, und wo biographische Kleinkunst nicht von der Hauptsache ablenkt. So erhielt hier die Phantasie sowohl kräftige Anregungen als feste Anhaltspunkte; kein Wunder, daß schaffende Geister sich von diesen Gestalten aufs mächtigste angezogen gefühlt und in ihre Darstellung das Beste ihrer Seele ergossen haben, kein Wunder auch, daß die Befassung mit ihnen namentlich in solchen Zeiten innig und fruchtbar wurde, wo es neue Höhen zu erklimmen und einer Verkünstelung der Kultur ursprüngliches Leben entgegenzusetzen galt. So waren es eben die Allergrößten, welche hier Anschluß suchten und aus dieser Quelle schöpften, das aber ebensowohl in den bildenden wie in den redenden Künsten, in Plastik und Malerei, wie in Musik und Poesie; es genügt, die Namen von Michelangelo und Dürer, von Bach und Goethe zu nennen. Ihnen allen war dabei die Welt der Bibel nicht nur die wertvollste Hilfe zur Herausarbeitung der Tiefe des eignen Wesens, sie fanden hier auch eine geistige Atmosphäre, die sie mit dem großen Kreise der Empfangenden eng verband und sie unmittelbar von Seele zu Seele wirken ließ. Ein derartiger gemeinsamer Boden, der auch die Symbole des einen den anderen leicht verstehen läßt, ist unentbehrlich für alles große Schaffen der Kunst; wie will auch die moderne Kunst je wieder zu kräftigem Vordringen und zur Macht über die Menschheit gelangen, wenn ihr nicht das Leben eine innere Einheit entgegenbringt, aus der sie zu schöpfen und auf die sie zu wirken vermag? — So stellt sich die Wirkung der Bibel auf Kunst und Literatur als unermeßlich dar; man streiche aus ihnen, was von jener angeregt ist, und man steht vor einer unerträglichen Lücke, ja Leere.

Was immer aber von der starken und tiefen Wirkung der Bibel auf das Leben und Schaffen gesagt ward, das gilt im besonderen von der deutschen Art und dem deutschen Volk. Unsere innerste Natur und der Verlauf unserer Geschichte verbinden sich dabei zur Wirkung. Wir Deutsche haben eine schwere Art und müssen viel Mühe des Lebens auf uns nehmen. Denn Leben ist uns keineswegs ein bequemes Entfalten und Genießen einer fertiggegebenen Natur, sondern wir haben die Höhe unseres Wesens erst in harter Arbeit zu erklimmen, wir finden auf diesem Wege manche Hemmungen vor, ja wir haben einen großen Widerspruch bei uns selbst zu überwinden, indem es uns einmal zu rüstigem Wirken und Gestalten in die sichtbare Welt hinein, zugleich aber auch in die Innerlichkeit der Seele treibt und in dieser eine unsichtbare Welt entfalten läßt. So haben unsere führenden Geister meist nur durch Zweifel und Kampf, durch Kampf nicht nur nach außen, sondern auch gegen sich selbst, die Höhe ihres Schaffens gefunden; es ist bezeichnend für sie, daß manchem von ihnen der Weg nicht ein gerader Aufstieg war, sondern einen Bruch mit der anfänglichen Richtung zu vollziehen hatte. So setzte Luther zuerst die volle Kraft seiner feurigen Seele an eben die Gestalt der Religion, deren entschiedenster Gegner er später wurde; so gehörte Kant mit Denkart und Arbeit zunächst derselben Aufklärung an, die seine Vernunftkritik später aufs gründlichste erschüttert hat; so mußten unsere größten Dichter, so mußten Goethe und Schiller den Ungestüm des Sturmes und Dranges bei sich selbst erst bändigen, um ihre reifen Werke schaffen zu können; so hat auch der größte deutsche Staatsmann, so hat Bismarck das anfängliche Junkertum erst abstreifen müssen, um zum Schöpfer deutscher Einheit zu werden. Aber wenn so das Leben den deutschen Führern voller Mühe und Arbeit war, so gewann es zugleich einen durchdringenden Ernst und eine unvergleichliche Tiefe; es setzte mit besonderer Stärke den ganzen Umkreis des Daseins in Bewegung, es wurde in hervorragendem Maße zu eigner Entscheidung und Tat, es ließ aber zugleich das Angewiesensein des Menschen auf unsichtbare Zusammenhänge, auf höhere Mächte mit tiefer Ehrfurcht empfinden. Es leuchtet ein, daß solche Bewegungen und Kämpfe die Welt der Bibel der Seele naherücken mußten.

So bestätigt und bekräftigt es weiter der Verlauf der deutschen Geschichte. Die Bibel hat die Bewegung unserer Literatur durch ihren ganzen Verlauf treu begleitet, sie hat namentlich an großen Wendepunkten einen starken Einfluß geübt und uns besonders in dem Streben gefördert, das Ursprüngliche und Eigentümliche unserer Art mit voller Kraft herauszubilden und gegen Verkümmerungen durchzusetzen. Ursprüngliches hier und Ursprüngliches dort fanden sich leicht und glücklich zusammen. Wie uns eine höhere Kultur in Verbindung mit dem Christentum zugeführt wurde, leider nicht ohne manchen Verlust an nationalem Besitz, so stand von Anfang an unser literarisches Schaffen in engstem Zusammenhang mit der Bibel; es genügt dafür an den Heliand, jenes altsächsische Heldengedicht, zu erinnern, das biblische Erzählung und deutsche Empfindung wunderbar miteinander verschmilzt; die deutsche Mystik des Mittelalters hatte ein nahes Verhältnis zur Bibel und war aufs eifrigste bemüht, ihren Inhalt, im besondern ein johanneisch gefaßtes Christentum, in unmittelbares Leben zu verwandeln; was endlich durch Luthers Bibelübersetzung die Bibel dem deutschen Volke nicht nur für seine Sprache, sondern auch für seine nationale Einheit, ja für das Ganze seines Lebens geworden ist, wie sie alle seine Schichten in jene Welt hineingezogen und damit durchdrungen hat, daran nur zu erinnern, mag schon als überflüssig erscheinen. Man überschaue einmal in Büchmanns „Geflügelten Worten" die Zusammenstellung dessen, was die deutsche Sprache an biblischen Ausdrücken und Bildern enthält, und man empfindet sofort, wie untrennbar unser Leben mit der Welt der Bibel verwachsen ist.

Auch das Selbständigwerden der modernen Kultur in der Aufklärung hat wohl anderes in der Bibel sehen lassen, andere Seiten in ihr hervorgekehrt, im besondern das Moralische und Lehrhafte in den Vordergrund gestellt, aber den Zusammenhang mit der

Bibel hat es nicht aufgegeben. Eine besondere Innigkeit aber gewann dieser Zusammenhang, als das deutsche Leben die Schranken der Aufklärung überwand und mehr ursprüngliche Fülle des Lebens erstrebte. Jeder der führenden Geister hat dabei eigne Wege verfolgt, hat Eigentümliches beigetragen. Ein Bewußtsein, fremden Leistungen vollauf gewachsen zu sein, hat die deutsche Literatur erst an Klopstocks Messias gefunden; wir wissen, wie sehr Lessings frischen und klaren Geist die Bibel beschäftigt hat, wir wissen auch, wie Herder auf die tiefsten Wurzeln des Völkerlebens nicht zurückgreifen konnte, ohne den Reichtum und die Schönheit der Bibel mit begeisterten Worten zu verkünden; namentlich aber blieb Goethe durch alle Phasen seines Lebens in engem Zusammenhange mit ihr, und die Art, wie seine Behandlung, tiefe Ehrfurcht und geistige Freiheit verbindend, uns die hier gebotene Welt sehen läßt, vermag einen dauernden Zauber zu üben. Wunderbar versteht er es, die biblischen Erzählungen ins Grundmenschliche zu wenden und sinnig im einzelnen Vorgang eine durchgehende Wahrheit zu finden. Daß in Ägypten ein König aufkam, der nichts mehr von Joseph wußte, das verkörpert ihm die Vergänglichkeit alles menschlichen Ruhmes; daß Saul, der Sohn Kis, auszog, um seines Vaters Eselinnen zu suchen, und dabei ein Königreich fand, das wird ihm ein Zeugnis dafür, daß der Mensch in seinem Streben oft das selbstgesteckte Ziel nicht erreicht, daß er dafür aber etwas anderes erreicht, was unvergleichlich mehr bedeutet als das Gewollte; die Erzählung aber von Jesu Wandeln auf dem Wasser, während die Jünger versinken, dient ihm zur Bekräftigung der Überzeugung, daß kein großes Unternehmen möglich ist ohne einen felsenfesten Glauben und ohne ein Vollbringen dessen, was dem ersten Anblick unmöglich dünkt. Über Goethe sei Schiller nicht vergessen; auch ihm ist die Bibel sehr viel gewesen. Betrachten wir nur sein geniales, wenn auch ungestümes Jugendwerk, die Räuber, wir finden seinen ganzen Verlauf von Beziehungen zur Bibel durchwirkt. Daß ihre Anziehungskraft auf große Dichter auch in das 19. Jahrhundert hinein und bis zur Gegenwart reicht, das brauchen wir kaum zu erwähnen. Am beweiskräftigsten für die Wirkung der Bibel ist vielleicht die Tatsache, daß viele Autoren ihr eigentümliche Wendungen gebrauchen, ohne dessen bewußt zu sein, ja daß selbst schroffe Gegner des Christentums der Sprache und mit ihr auch dem Geist der Bibel sich nicht zu entziehen vermögen. Daß auch die deutsche Musik, die deutsche Bildhauerei, die deutsche Malerei in reichstem Maß und zu reichster Förderung aus dieser Quelle schöpften, das bedarf keiner näheren Darlegung.

Es liegt in der eigentümlichen, mehr unpersönlichen Art der eigentlichen Philosophie, daß hier die Beziehung zur Bibel mehr zurücktritt. Aber sie wird um so stärker, je mehr in der Denkarbeit die Persönlichkeit erscheint, und je mehr die eigne Seele des Denkers eine innere Fortbildung erfährt. So ist es bezeichnend, daß wohl kaum bei einem anderen Philosophen das Verhältnis zur Bibel so eng mit inneren Wandlungen zusammenhängt wie bei Fichte, dem Propheten der nationalen Erhebung. War in seiner früheren Lebenszeit jenes Verhältnis kein inniges, so gewann es seit dem Atheismusstreit eine überraschende Stärke. Im besondern verwob er das Johannesevangelium aufs engste mit dem eignen Schaffen. Man hat festgestellt, daß namentlich vom Jahre 1804 ab alle seine Arbeiten die Spur dieses Evangeliums tragen, und zugleich das letzte Jahrzehnt von Fichtes Leben als seine „Johanneische Periode" bezeichnet (s. Medicus, J. G. Fichte, 1905). Auch das Alte Testament blieb ihm keineswegs fremd. Wenn er in seinen Reden an die deutsche Nation mit freudiger Vorausschau die Auferstehung des deutschen Geistes verkündet, so beruft er sich dabei auf das mächtige Gleichnis Hesekiels von den Totengebeinen, die der göttliche Geist wiederbelebt, und schließt die ergreifende Schilderung mit den Worten: „Der belebende Odem der Geisterwelt hat noch nicht aufgehört zu wehen. Er wird auch unseres Nationalkörpers erstorbene Gebeine ergreifen und sie aneinanderfügen, daß sie herrlich dastehen in neuem und verklärtem Leben." Auch Hegel, der am meisten systematische und in reinen Begriffen schwebende aus der Reihe der deutschen Denker, hat sich den Einflüssen der Bibel nicht entzogen. Wie er von früh an auch wissenschaftlich sich viel mit biblischen Hauptfragen beschäftigt hat, so zeigt auch später seine Sprache eben an entscheidenden Höhepunkten ein Zurückgreifen auf biblische Wendungen und verleiht damit auch dem Gedanken eine größere Nähe und Anschaulichkeit, einen Gefühlston wärmerer Art. Was damit eingeflossen ist, das hat nicht wenig zur Wirkung des Ganzen beigetragen.

So hat gerade an Wendepunkten des Lebens und an Höhepunkten der Arbeit die Bibel einen starken Einfluß auf den deutschen Geist geübt, sie hat wesentlich dazu beigetragen, ihn vor drohender Erstarrung zu bewahren und zu seiner ursprünglichen Kraft zurückzurufen. Sollten wir nicht auch heute an einem Wendepunkt stehen, sollten wir nicht auch heute eines Zurückgehens auf ursprüngliche Quellen bedürfen? Zunächst schon wegen des gewaltigen Weltkriegs, wegen der Kraft und des Heldenmuts, die er verlangt, wegen der Opfer, die er uns auferlegt, wegen all seiner Gefahren und Nöte, die nur ein gesteigertes, nur aus tiefsten Gründen schöpfendes Vermögen uns siegreich bestehen lassen kann. Auch für die Aufgaben, die sein Abschluß mit sich bringen wird, bedürfen wir eines inneren Aufstiegs, bedürfen wir schaffender Kräfte, die kein bloßer Entschluß erzwingen kann, die bei uns emporsteigen müssen. Aber dieser kommenden Aufgaben können wir nicht gedenken ohne zu gewahren, daß das Hauptproblem weit über den Krieg hinausgeht und weit hinter ihn zurückreicht. Die Gesamtbewegung der Neuzeit hat bei erstaunlicher und unangreifbarer Leistung nach besonderen Richtungen hin das Leben als Ganzes und Inneres in eine große Unsicherheit, ja in eine schwere Krise gebracht. Jugendfrisch und siegesfroh ging ihr Zug in die uns umgebende Welt, sie hat unvergleichlich mehr in dieser erkannt und unvergleichlich mehr aus ihr gemacht, aber sie hat immer mehr einen ihr überlegenen Standort aufgegeben, sie hat einen beherrschenden Mittelpunkt verloren und ist damit tief unter die Botmäßigkeit eben dessen geraten, das sie beherrschen und genießen wollte. Unermeßliche Kraft ward entwickelt und das Leben in raschesten Fluß gebracht, aber die Sorge um die Kraftsteigerung verdrängte die um einen Gehalt und einen Sinn des Lebens, inmitten aller glänzenden Leistungen sank das Ganze der Persönlichkeit, wurden die Menschen als Menschen kleiner und kleiner. Die Kultur sollte den Kern des Lebens bilden, aber ihr eigner Gehalt geriet in arge Unsicherheit, und immer schwerer wurde es ihr, eine belebende Seele zu wahren, Reinheit der Gesinnung, Tiefe und Kraft des Schaffens hervorzubringen. Die Neuzeit rief den Menschen zu stolzem Selbstgefühl auf, sie gab ihm den Antrieb, sich möglichst von allen

Zusammenhängen einer unsichtbaren Welt abzulösen und sich lediglich auf sich selbst zu stellen, im eignen Bereich, d. h. in der Steigerung seines Wohlseins, das Ziel der Ziele zu finden. Einer solchen Strömung entsprach es, wenn Ludwig Feuerbach sagte: „Gott war mein erster, Vernunft mein zweiter, der Mensch mein dritter und letzter Gedanke." Von Anfang an lag die Frage nahe, ob am Menschen viel geistig Wertvolles verbleibt, wenn ihm alles genommen wird, was mit Gott und Vernunft zusammenhängt, und ob es sich dann noch lohnt, für sein Wohlsein harte Mühe aufzubieten und schwere Opfer zu bringen. Diesem Zweifel aber hat der Fortgang der Dinge eine überwältigende Eindringlichkeit gegeben; schon die Zeit vor dem Kriege hat so viel Kleines, so viel Unerfreuliches, ja so viel Widerwärtiges am menschlichen Getriebe vor Augen gestellt, so viel Selbstsucht und Eitelkeit, so viel Neid und Haß, so viel Scheingepränge und Nichtigkeit, daß die Verklärung, welche von älteren Lebenszusammenhängen her dem Bilde der Menschheit noch verblieb, immer gründlicher ausgetrieben ward. Zugleich aber mußte das Wohlsein dieses bloßen Menschen dem Handeln als Ziel unzulänglich werden, es verblaßten die Fortschrittshoffnungen, der Mensch ward dem Menschen auch in dieser Hinsicht zu klein. Der Krieg hat das alles noch verstärkt. Wohl hat er innerhalb der einzelnen Völker viel Großes erwiesen, — wir Deutsche gedenken mit tiefer Dankbarkeit namentlich unseres unvergleichlichen Heeres —, aber vom Ganzen her angesehen stellt sich das Bild der Menschheit überaus trübe dar; zu jenen schweren Schäden und ihrer Steigerung ins Massenhafte kommt die Spaltung und innere Verfeindung der Menschheit, kommt das Unvermögen der Wahrheit, zu den Menschen durchzudringen, kommt die klägliche Abhängigkeit der sog. öffentlichen Meinung von selbstischen und niedrigen Mächten, kurz, das Problem ist noch weiter verschärft, und für jeden tiefer Denkenden tritt mit zwingender Klarheit jetzt das schroffe Entweder-Oder vor Augen: entweder ist das Menschheitsleben in weiteren Zusammenhängen gegründet und empfängt daraus hohe Ziele sowohl als die Kraft, sich ihnen zu nähern, oder das ganze Dasein des Menschen ist eine Verirrung des Alls, ein täuschender Schein, ein Widerspruch in sich selbst; nur eine flache und vage Denkart kann hier zu vermitteln versuchen. Je deutlicher aber dieses Entweder-Oder wird, desto mehr verschiebt sich auch die Frage nach der Hauptbewegung des Lebens. Kultur und Religion beantworten jene verschieden. Die geschichtlichen Religionen, im besondern das Christentum, machten den Kampf zwischen Gut und Böse und damit das ethische Verhalten zum beherrschenden Mittelpunkte des Lebens, sie rissen damit die Welt auseinander und riefen den Menschen zu einer folgenschweren Entscheidung auf, sie stellten sein Geschick vornehmlich auf seine Tat und Verantwortung. Die Kultur dagegen sah im Leben einen allmählichen Aufbau auf einem von Haus aus sicheren Grunde; die Tat tritt ihr zurück vor einem aus eigner Notwendigkeit fortschreitenden Prozeß, die Welt stellt sich hier als ein einziges Gewebe dar, das Ethische wird ein bloßes Mittel für die Steigerung der Kraftentfaltung. Diese Denkweise hatte in der Neuzeit mehr und mehr die Menschheit gewonnen und gab ihren Vorrang gern als unbestreitbar; nun aber erfahren wir einen Rückschlag, nun überzeugen wir uns, daß wir uns keineswegs schon in einem Reich der Vernunft befinden, und daß unser Leben, geistig angesehen, eine feste Grundlage nicht von Haus aus besitzt, sondern um eine solche zu kämpfen, und zwar immer von neuem zu kämpfen hat. Wird damit wieder zum Hauptproblem die Entscheidung über die Hauptrichtung des Lebens, so verschiebt sich der Anblick aller Gebiete, so hebt sich mit voller Deutlichkeit der Kampf um eine Seele und um einen Sinn des Lebens mit überlegener Stärke aus allem verwickelten Getriebe der Durchschnittskultur hervor, so fühlt der Mensch sich wieder im Werden und voller Sehnsucht nach neuen reineren Anfängen, nach einer Abschüttelung all des elenden Tandes und der selbstgefälligen Nichtigkeit jener Kultur; solche Bewegungen treiben aber mit zwingender Kraft die Fragen der Religion neu hervor, sie geben zugleich dem Gehalt und den Gestalten der Bibel eine frische Anziehungskraft.

Mit solcher Wendung wächst auch die Bedeutung der Bestrebungen, den hier gebotenen Schatz der Gegenwart möglichst nahezubringen, nicht nur den einzelnen Seelen, sondern auch der Arbeit ganzer Lebensgebiete. Wahrhaft Großes, so sahen wir, erschöpft kraft seines Ewigkeitsgehaltes sein Wirken nicht in der Zeit, es stellt sich bei sicherer Tatsächlichkeit zugleich als eine fortlaufende Aufgabe dar, es kann jeder Zeit Eigentümliches und Neues bringen. So gilt es auch von der Bibel, als einer

„reinen reichen Quelle,
Die nun dorther sich ergießet,
Überflüssig, ewig helle,
Rings durch alle Welten fließet.“

Wir sahen weiter, daß uns Deutschen diese Schriften der Entwickelung unseres nationalen Lebens aufs engste verbunden sind. Das gilt auch von dem Streben, sie zu verbreiten. Es war das Verlangen, die seelische Erhebung der Befreiungskriege festzuhalten und weitesten Kreisen nahezubringen, welches die Gründung deutscher Bibelgesellschaften hervorrief. Sahen doch ernste Seelen in den Kämpfen und Siegen jener Zeit einen handgreiflichen Erweis der Macht der Religion und zugleich der Bibel als „des Quells des geistigen Lebens", wie das Vorwort zur Hannoverschen Bibelausgabe von 1816 sie nennt. Damals war der Sieg schon errungen, heute glit es erst, ihn zu erringen; um so notwendiger ist die Zusammenfassung aller Kräfte, die Heranrufung aller guten Geister, ein Schöpfen aus tiefsten Quellen des Lebens. Nichts gibt einem Volk mehr Stärke als eine enge Verbindung von Religiösem und Nationalem; möchte höchste Stärke auch unserem deutschen Volke beschieden sein!

CPSIA information can be obtained
at www.ICGtesting.com
Printed in the USA
BVHW081314180219
540527BV00026B/2591/P